Coleção
Horror e Mistério

VERMELHO MARINHO

CB025709

Título Original: The Damned Shopping Center
Copyright da tradução © 2014 J.F. Dell

Autor
J. F. Dell

Tradução
Steve Owen

Editor-chefe
Tomaz Adour

Revisão
Equipe Vermelho Marinho

Capa
Peron

Diagramação
Marcelo Amado/Página 42

D357s

Dell, J. F.
    Shopping center maldito / J. F. Dell ; tradução de Steve Owen. – Rio de Janeiro: Vermelho marinho, 2014.
    64 p. : 15 cm. – (Horror e Mistério)

Tradução de: The damned shopping center
ISBN: 978-85-8265-030-1

1. Ficção norte-americana – Terror. I. Owen, Steve. II. Título.

CDD-813

EDITORA VERMELHO MARINHO
Rua Visconde de Silva, 60/casa 102,
Botafogo, Rio de Janeiro/RJ, 22.271-092.

"Sou aquele que vive; estive morto, mas eis que aqui estou vivo pelos séculos dos séculos! E tenho as chaves da morte e do inferno."

(Apocalipse 1:18 –João)

A viagem arrastava-se por longas horas. Iang ajustava o dial do aparelho de som do carro, um moderno Lindon 467, com seu painel moderno que lembrava a cabine de um jato. As músicas já não podiam ajudá-lo com o sono e o cansaço, suas costas doíam muito e ele moveu-se contra o encosto aquecido, tentando reduzir a contratura dos músculos.

Mila não pode deixar de notá-lo. Até então, estava entretida com uma caixa de bombons, as embalagens prateadas, vermelhas e metálicas avolumavam-se ao seu lado no banco de passageiros. Ela mastigava os doces, tentando não chamar a atenção de Iang, mas em vão. Só o movimento de seu maxilar bastava para agravar o humor do marido.

Mila ganhara muito peso nos últimos anos e atribuía tudo ao seu perfil emocional. Há muito Iang desistira de estimulá-la a procurar ajuda ou falar sobre o assunto, isto só a deixava mais ansiosa e resultava em ataques escondidos à geladeira durante a noite, quando ela, sorrateiramente, deixava a cama à procura de alguma coisa para comer. Na maioria das vezes Iang estava acordado, mas fingia dormir para não condenar o resto de sua noite a uma discussão sem resultados.

Quando as compulsões noturnas de Mila se agravaram, eles procuraram ajuda, que só confirmou que sua mulher tinha muitas outras, associadas num pacote que foi chamado de ansiedade generalizada. Em poucas palavras, resultado do desejo de obter compensações afetivas não correspondidas. Foi isso o que o terapeuta disse a Iang no dia em que Mila insistiu para que ele conversasse com seu analista. O recado era claro, a culpa da ansiedade de sua mulher, suas incursões noturnas a geladeiras, armários e lugares secretos pela casa à cata de comida, ou então suas compras de sapatos e roupas que ela nem usava e acabavam esquecidas novas ainda, até mesmo com as etiquetas deixadas em armários que se multiplicavam pela casa, era provocada por Iang. Mila repetia sempre que ele a contrariava, que não tinha nenhuma roupa para vestir em certas ocasiões. Por fim, finalizou o analista, afirmando que a tristeza e obesidade de sua mulher eram culpa dele. A situação agravara-se quando seu relacionamento com uma estagiária começou a perder o controle. Mila acabou por descobrir tudo. Aquele passo em falso de Iang foi o suficiente para agravar a ansiedade e insegurança da esposa. O terapeuta aludiu ao assunto, sugerindo que ele tinha grande parcela no agravamento e insucesso da condição de Mila nos últimos anos, graças aos seus "excessos de dedicação ao trabalho e aos seus colaboradores", em detrimento da família. Ele entendeu o recado: afastar-se de estagiárias. Mila contara seu caso extraconjugal para o analista. Isso fez Iang sentir-se profundamente responsável por tudo aquilo.

Quando perguntou ao analista o que deveria fazer, a resposta foi "dê-lhe mais atenção, faça-a saber que ela é importante em sua vida, deixe o trabalho um pouco de lado e ocupe-se de sua mulher", explicou o homem a quem ele pagava muito caro só para ter que ouvir naquele momento, que no fundo ele, Iang, era a doença de sua pobre esposa. Quando ele quis saber o que poderia fazer para ajudar, o homem sugeriu-lhes uma viagem, afastarem-se dos compromissos, estarem juntos longe dos problemas diários.

Shopping Center Maldito

"Vão para um lugar distante, longe de tudo, vai ser bom para ambos", tinha dito o analista, confortavelmente sentado em sua poltrona muito cara e, possivelmente, paga por boa parte dos honorários que Iang depositara em sua conta nos últimos anos. "Incluindo principalmente as ligações para o seu celular de certa estagiária", provavelmente era o que o analista queria dizer com "longe de tudo". Novamente Iang entendeu o conselho.

Assim, lá estavam eles rodando há horas por uma estrada vazia e o único resultado, até então, fora que Mila devorara uma caixa inteira de bombons. Seus olhos percorriam um folheto de ofertas, enquanto os dedos gordos, delicadamente pintados de esmalte vermelho, iam e vinham da caixa de bombons. Sem nem mesmo olhá-los, ia colocando-os um após o outro na boca, triturando-os numa conversa muda só interrompida pelos "glup", "glup", quando os bombons sumiam em suas entranhas. Iang já não conseguia mais aguentar aquilo.

Pelo menos ela parara de reclamar de como as roupas não lhe serviam mais e como se sentia incomodada em lugares onde havia muita gente. Iang sabia que ela estava tentando dizer-lhe que não queria estar onde pudesse ser observada, lugares como praias, jantares, festas, tornavam-se pesadelos toda vez que tentava entrar num vestido ou esconder as *gordurinhas* num maiô. Quase sempre acabavam brigando. Justamente por isso, Iang escolheram aquele roteiro pelas montanhas.

Mila estava quieta há uns vinte minutos. Então, deu um gritinho, lambeu os dedos sujos de chocolate, limpou os dentes com a própria língua e depois, falou:

Coleção Horror e Mistério

– Essas ofertas de calçados estão ótimas! ... Hã... Veja esta, neném, linda e por um preço sem igual. Ah! Eu quero tanto... – Ela fez um beicinho.

Iang relaxou da preocupação.

– Pelo menos alguém está se divertindo nessa viagem – disse, sem esconder o mau humor.

– Eu preciso de uma sandália nova, neném. Você não vai querer ver sua mulherzinha mal vestida, vai?

– Não, meu bem, não vou... É só que nós não viemos a este lugar apenas para comprar uns sapatos.

Mila não respondeu, mas Iang pôde ver o rosto da mulher mudar e achou que ela iria chorar outra vez. Sempre que Iang tentava falar alguma coisa, Mila ficava com os olhos cheios de lágrimas e emudecia. Foi assim com a mudança do roteiro, quando o hotel onde estavam encheu-se de jovens casais, com mulheres magras e esguias indo e vindo pelo saguão na direção da piscina; ela quis partir, ele recusou-se e tiveram uma discussão. Vencido, Iang arrumou as malas e eles partiram. Mila insistiu nas montanhas, o ar lhe faria bem, garantiu. Iang concordou, não pretendia mais discutir e se tudo desse certo, em breve aquilo terminaria e eles voltariam para casa. Naquele momento, Mila mantinha-se distraída com os bombons e as ofertas.

Benditas ofertas! – ele pensou.

Eles haviam praticamente interrompido a viagem para o sul, porque Mila encontrara aquele anúncio com as ofertas sobre o balcão de um posto de combustíveis, enquanto seguiam na direção de uns chalés. Imediatamente seus olhos viram as ofertas e lá estavam eles.

– Nós precisamos levar umas lembrancinhas, neném! – Mila justificou, frente ao azedume de Iang de ter que desviar a rota estabelecida em mais de cem quilômetros. Há muito tempo ele acostumara-se com as ofertas "ótimas"! E também deixara de aborrecer-se quando ela o chamava de neném.

– Nós poderíamos parar um pouco para esticar as pernas... – disse Mila com um bombom a meio caminho da boca. Iang notou que aquele era o último.

– Ou quem sabe comprar uns bombons a mais... – ele respondeu com ironia.

– Você não perde a chance de me censurar, Iang. Se foi para isso que viemos, então não adiantou nada. Você pensa que eu não vejo como me olha? E pior, como olha as outras mulheres. – Mila olhou para a janela, acompanhando as guias da estrada e seus olhos se encheram de lágrimas. Pegou uma embalagem de bombom e começou a enrolar entre os dedos. Aquele barulho do papel sendo amassado e desamassado era pior que uma discussão para Iang.

– Por favor, Mila, não vamos recomeçar... – gemeu Iang. Ele tinha cinquenta anos, três a mais que Mila, porém, nos últimos anos exercitava-se com regularidade, o cuidado rendera-lhe uma boa saúde e algumas dores nas costas.

— Mas é isso mesmo. Só porque eu não tenho mais o corpo que eu tinha, você olha para as outras. Eu vejo, Iang, não sou cega! Às vezes acho que você não me aguenta mais e só fez esta viagem porque foi obrigado. – Mila virou-se para a janela, evitando olhar para ele.

— Por favor, Mila! Olhe, meu bem, não é nada disso. Todos têm problemas, só estamos numa fase ruim... Os casamentos são assim, têm períodos... – Iang sentiu que começava uma discussão sem fim. Suas costas doeram um pouco mais.

— A verdade é que você não gosta mais de mim, Iang – disse Mila e sua voz ficou embargada, lágrimas rolaram finalmente dos olhos. Iang percebeu que naquele momento a lembrança da estagiária mais jovem ocupava os pensamentos de Mila e sentiu-se culpado.

— Desculpe-me, Mila, eu só estou cansado de dirigir. Estamos rodando há um tempão e minhas costas começaram a reclamar... – Ele sorriu, tentando encerrar aquela conversa.

— E você tem que descontar em mim? – Mila perguntou, e estava magoada.

— Vamos acabar com isso, está bem? Vamos nos divertir um pouco e deixar todo resto para lá... – Iang ajeitou-se no banco, querendo afastar-se daquela conversa; mexeu no dial à procura de alguma música.

Mila pareceu acalmar-se. Depois, moveu o corpanzil para frente e remexeu no porta luvas. Iang franziu a testa e sua expressão era de desamparo, sabia o que ela procurava.

– Podíamos parar em algum lugar – ela completou. – Você pode relaxar um pouco.

"E atacar alguma comida...", foi a frase que faltou na boca de Mila, pensou ele. Iang sabia que, no fundo, sua mulher ansiava por mastigar alguma coisa.

– Está bem. Assim que encontrarmos um posto de serviços daremos uma parada, vai ser bom para relaxar um pouco – ele respondeu, concordando com a mulher.

Quase imediatamente Mila deu um grito de surpresa.

– Olhe, Iang! Querido, há um Shopping Center bem ali. – Sua alegria lembrava uma adolescente.

Iang não discutiu, olhou pelo retrovisor e notou que a estrada estava vazia àquela hora do dia, nem se dera conta, mas estava por volta do meio-dia. Ele mudou de faixa e encaminhou o Lindon 467 para o estacionamento. Iang manobrou o carro. Para sua surpresa, o pátio estava vazio, achou estranho, o calor formava miragens por todo o estacionamento de asfalto, como se pequenas poças tremulassem suspensas a centímetros do chão.

– Este lugar está vazio. Será que está fechado? – Iang murmurou para Mila, sem tirar os olhos do lugar.

– Melhor assim! Tomara! – Ela esticou um dos braços e alcançou o impresso. – Olhe estas ofertas! Não está fechado não, diz aqui que estão fazendo uma semana de queima de estoques. Sorte a nossa. Eu nem sei como agradecer, meu bem, nós viemos parar justamente no lugar onde eu vi preços ótimos! Iang, olhe só estes preços! – Ela deu-lhe um beijo no rosto. – Aposto que você queria me fazer uma surpresa quando pegou isto.

– Tem certeza? – ele perguntou surpreso e uma ruga surgiu em sua testa.

Iang não se lembrava de exatamente aonde ou como aquele impresso viera parar ali, estava certo de não ter entregado nada parecido à sua mulher. Achava que Mila o tinha retirado do posto de gasolina onde estiveram para abastecer. Quase disse isso a ela. Porém, Mila já pegara uma caneta e rabiscava círculos no que ele imaginou serem as tais ofertas.

Iang levou o carro o mais próximo da entrada; a dor nas costas alertou-o dos movimentos bruscos. Mila sequer deu atenção ao esforço dele. O motor roncou, ventilando óleo e fumaça pelo escapamento. Iang abriu a porta do carro; vestia um tweed claro e calçava mocassins; o calor atingiu-o como uma lufada, o suor porejou em sua fronte e ele apertou os olhos para ver o entorno. As vagas estavam todas livres, não havia ninguém, nem pessoas, nem seguranças; olhou novamente para o relógio e certificou-se que naquele horário o shopping já deveria estar aberto e funcionando.

– Chegamos, Mila – Iang disse, debruçando o corpo sobre a direção e curvando o rosto para a mulher ao seu lado.

– Mnhunnn! – fez Mila, mastigando e condenando quem sabe um último bombom encontrado no porta-luvas às profundezas de sua garganta. – Não vejo a hora de ver estas ofertas.

Shopping Center Maldito

Ela começou a sair. Mila estava apertada num vestido carmim, florido, exageradamente justo; tentava descer do carro com dificuldade, enquanto cuidava de limpar os restos de chocolate que marcavam seus lábios.

– Você pelo menos poderia ter deixado uma folga maior do meu lado.

– O espaço é o mesmo dos dois lados, Mila – Iang grunhiu para ela.

– Aí! Você está novamente tentando me magoar. – Sua voz voltou a esboçar o mesmo queixume que ele já conhecia. – Eu sei que no fundo você só diz isso com a intenção de lembrar o quanto estou acima do meu peso.

– Mila, por favor! Nós já conversamos sobre isto, e estamos atrasados. Se formos ficar discutindo o mesmo assunto todas as vezes que eu falar com você, ficaremos aqui para sempre.

Quando Mila já tinha parte do corpo para fora do carro, ele a deteve com um movimento. Aquele silêncio e o vazio do estacionamento começaram a incomodá-lo. Um pressentimento atingiu Iang como uma gota fria despejada na nuca, um arrepio eriçou seus pelos. Ele segurou o braço da mulher por um momento e quase a obrigou a voltar para o carro e saírem depressa daquele lugar. Evitou comentar com Mila, não queria recomeçar uma discussão com a mulher; resolveu deixar suas apreensões de lado.

– Espere um pouco aqui, querida, vou dar uma olhada. Está muito quente, quero me certificar que o lugar está aberto, antes de entrarmos. – Iang afastou-se do carro e caminhou na direção da entrada. Mila levantou a cabeça levemente e sorriu para ele, concordando, depois tornou a abaixar os olhos paras as ofertas. Iang afastou-se. Em seus pensamentos começou a duvidar que aquela viagem desse algum resultado. A certa distância voltou a olhar a mulher dentro do carro, que acenou para ele, encorajando-o a prosseguir.

Iang quase não conseguia compreender como aquela criatura tão adorável e esguia que conhecera na universidade, pudera transformar-se na mulher enormemente gorda que viajava ao seu lado. Os regimes, as academias, as promessas, os medicamentos controlados, nada dera resultado. Sucedeu-se que ano a ano a obesidade dela aumentava. Seus choramingos de que era sua sina engordar e que "se sentia a última mulher do mundo", não ajudavam em nada. E embora tentasse desesperadamente, nada fazia com que Mila perdesse um grama de peso. Iang dizia a si mesmo que de alguma forma a amava, era uma mulher inteligente, risonha e sempre disposta a acompanhá-lo. Chegou a sentir ternura por ela.

"Então, por que a estagiária?" – alguma coisa em sua cabeça quis saber, mas ele afastou o pensamento. Disse a si mesmo que a amava. Talvez isto o tenha impedido de deixá-la e também impedido de gritar com ela quando encontrava caixas de bombons vazias escondidas pelos cantos da casa, bem como restos comida em suas roupas de dormir. Foi por culpa do amor que ele nunca a impediu de atacar a despensa, fingindo que dormia profundamente enquanto ela se empanturrava na cozinha. O mesmo poderia dizer em relação à esterilidade dela, que não lhes dera filhos. – *Gorda demais!* – sentenciou o médico depois de três anos de tentativas. No fundo, Iang sentia-se culpado por tê-la trocado por sua carreira profissional e por fim por uma mulher mais jovem.

A porta de entrada daquele lugar estava aberta e havia música saindo do interior, dando-lhe certeza que o centro de compras estava aberto. Iang caminhou de volta na direção do Lindon 467. Ainda assim, não estava confortável, sentia-se incomodado naquele lugar. Tomou uma decisão, tentaria convencer a mulher a procurarem outro lugar para parar e comer. Quando estava próximo do carro, seu telefone celular tocou. Mila levantou os olhos, ambos sabiam o que aquelas ligações podiam significar e quem poderia ser. Depois de alguns segundos de indecisão, Iang atendeu. Mila baixou a cabeça.

– Alô! – Do outro lado ninguém respondeu, ele podia ouvir alguém respirando próximo. Fechou o aparelho e desligou-o. Aproximou-se do carro e o atirou no interior. Mila observou seus movimentos.

– Não vai atender? – ela quis saber, erguendo o aparelho.

– Não. Deve ser engano, avisei que estaria fora por uns dias. Deixe-o no porta-luvas. – Mila obedeceu. Depois, levou um dos dedos à boca e mordeu seus nós. A ansiedade estava de volta.

– Não sei se quero descer – disse-lhe Mila, que olhava para um ponto infinito através do para-brisa, o rosto cheio de angústia.

Iang pensou por um instante, aquele telefonema o fez mudar de opinião; levantou a cabeça acima do carro, olhou o pátio e achou melhor entrar no shopping, assim evitaria ou até impediria uma discussão caso continuassem a viagem.

– Afinal, você quer ou não descer? Vai perder ofertas como essas? – Iang quis parecer jovial, afastando aquele aborrecimento. – As pechinchas

Coleção Horror e Mistério

não vão esperar muito, não é mesmo? – Ele esticou a mão até ela, convidando-a a sair do carro.

– Você sabe que sim. Prometo não demorar. Só quero dar uma olhadinha nessas sandálias, estão com preços ótimos, neném.

"Claro que estão", pensou Iang e engoliu em seco o comentário.

Mila recobrou a alegria e moveu-se por sobre o banco do motorista. As suas formas a impediram de continuar, estava enroscada no assento. Iang passou a mão por sobre a cabeça, sem esconder seu aborrecimento com toda aquela situação.

– Acho melhor você sair pelo lado do passageiro mesmo, querida – Iang explicou, tentando ser gentil.

– Mas eu conseguia passar de um banco a outro... – ela insistiu.

– Claro, meu bem, mas isso foi há muito tempo, quando os carros eram bem mais espaçosos... *"E as pessoas não tão grandes!"*

– Você está zombando de mim... – replicou Mila.

– Por favor, meu bem, desça logo e vamos entrar nesse bendito shopping e acabar com isso – Iang exasperou-se.

– Está vendo? Você odeia fazer compras comigo. Você não me ama mais, é isso, não é? Porque estou gorda e feia. – Os olhos dela ficaram úmidos e os lábios fizeram uma curva para baixo.

Iang deu a volta e abriu-lhe a porta do lado do passageiro, com uma mesura. Mila sorriu.

– Não é nada disso, Mila, estou apenas cansado de dirigir, e já que desviamos nossa rota, vai ser bom relaxar um pouco. Não é nada – disse Iang, com pena. – Eu amo você, meu bem.

– Você me ama mesmo, neném? – ela tornou a dizer, com olhos suplicantes.

– Amo, Mila, você sabe disso.

Ela puxou a mão dele sobre as suas coxas gordas e rosadas. Ele retirou a mão rapidamente.

– Está vendo? – ela choramingou. – Você nem me deixa mais tocar em você... No fundo, você gostaria que eu fosse magrinha e esguia.

– Por favor, Mila! Não vamos recomeçar, nós prometemos que esta viagem seria para nos reconciliarmos! – O rosto de Iang se contorceu.

– Está bem, eu prometo não falar mais! – Mila ofereceu os lábios pequenos e vermelhos para ele. Iang beijou-a de leve. Então, ela voltou a olhar para as folhas dos anúncios, satisfeita enquanto caminhavam.

Um shopping localizado no meio do nada era o que mais o incomodava. Tudo em volta era silêncio.

– Ah, neném! Você vai gostar, eu lhe garanto, você viu as ofertas? São de dar água na boca! – disse Mila, com os olhos brilhando. Nos últimos anos, a única coisa que conseguia mantê-la de estômago vazio eram as lojas e suas infindáveis vantagens.

Ofertas, ofertas!, Iang resmungou para si mesmo.

Que raios, faziam sempre com que as mulheres acreditassem que estavam levando a melhor sobre os comerciantes, agarrando suas ofertas e disputando-as. Quando estavam diante da porta de entrada, Iang sentiu aquela impressão ruim atravessá-lo novamente.

– Tem certeza, Mila? – ele perguntou.

– Só esta vezinha, neném, eu juro!

Iang sacudiu os ombros, vencido. Mila deu um pulinho de alegria.

Ela arrastou-o pela porta central, um ruído leve movimentou o vidro automaticamente para que eles passassem. Um enorme elevador ocupava o centro de um cilindro de aço polido, o qual se projetava para cima e para baixo a uma distância que parecia não ter fim. Por um momento Iang sentiu-se confuso, afinal, por fora a altura do Shopping Center não correspondia àquele elevador. Os olhos de Iang tentaram seguir a torre, mas ele quase desequilibrou-se.

– Tenho certeza que você não vai se arrepender, neném! Os preços estão uma pechincha – ela sussurrou e o hálito de chocolate atingiu-o em cheio. Um som familiar de tilintar e então a porta do elevador se abriu. Postado ao lado da porta, o ascensorista permaneceu de costas para eles.

– Eu estou tão excitada! – disse Mila, apertando um dos braços de Iang com força. Depois dirigiu-se ao ascensorista.

– Por favor, este Shopping Center é novo?

Ainda de costas e sem se virar, o ascensorista respondeu:

– Na verdade, trata-se de um centro de compras bastante antigo, senhora.

– Interessante eu nunca ter ouvido falar antes, até encontrarmos este anúncio – disse Mila, fazendo rugas de preocupação na testa. Depois relaxou e apertou novamente o braço de Iang e tornou a sussurrar em seu ouvido: – Tanto melhor, neném, eu serei a primeira a descobrir as ofertas, minhas amigas irão morrer de inveja, quando souberem.

Só então Iang prestou atenção ao rapaz. Ele vestia uma roupa vermelha bastante gasta, tinha os olhos fundos, uma magreza chocante que fazia suas roupas parecerem mal penduradas num cabide humano. Porém, seus pensamentos não prosseguiram, pois o elevador fez uma parada brusca que os projetou para frente. A porta abriu-se.

– Vigésimo quinto andar! Material de caça e pesca! Subindo! – gritou o ascensorista, de costas para os dois. Mas não havia mais ninguém para entrar.

– De fora não parecia tão alto – Iang sussurrou no ouvido de Mila.

Ela não entendeu quando Iang fez o comentário e apontou para cima, indicando a subida do elevador.

– Você estava muito ocupado procurando vagas no estacionamento, neném. – respondeu Mila, animada com as possibilidades que cada andar deveria oferecer. Um shopping imenso e sem filas só para ela.

E dessa vez foi Iang que não compreendeu aquele comentário, afinal, não havia ninguém nas vagas. Percebeu toda a excitação da mulher e considerou que pelo menos quanto ao incidente com o telefonema no estacionamento, Mila havia esquecido. Para Iang era isto que interessava; quanto ao restante, achou que, depois de anos, poderia suportar mais algumas horas de compras.

O elevador panorâmico movia-se velozmente para cima. Pelo vidro, ele observava os andares passando muito rapidamente. O painel digital enumerava os andares em sequência ascendente. Porém, sua sensação era que estavam parados e os andares é que passavam por eles. Disse a si mesmo que aquilo era impossível. O que mais o importunava naquele momento era a sensação estranha de solidão que tomara conta dele. Faltava alguma coisa naquele lugar e ele logo entendeu, não havia o aglomerado de pessoas nos grandes magazines, nem gente caminhando pelos corredores; na verdade, cada vez que o elevador parava e suas portas se abriam para dar entrada a alguém, o que Iang observava por alguns instantes, até a porta se fechar, eram corredores vazios e silenciosos, ladeados por fileiras de prateleiras e anúncios de produtos que se perdiam como labirintos e vazios como se não houvesse ninguém mais. Estavam sós. Iang fez um movimento decidido a perguntar ao ascensorista porque tudo estava vazio, justamente quando o elevador tornou a dar um solavanco, desta vez forte o suficiente para Mila soltar um gritinho. Iang esqueceu sua preocupação com o golpe. O ascensorista anunciou:

– Trigésimo sexto andar! Seção de calçados! – gritou o cadavérico sujeito e sua entonação lembrou-o de um vendedor de feira livre.

Iang ignorou o corredor que se abria diante deles, adivinhando que estaria tão vazio quanto os demais e prestou atenção no ascensorista, que além da magreza chamou a atenção por suas roupas. O homem vestia uma casaca de cor vinho dessas que formam dois bicos longos atrás, bem gasta, com detalhes que o fizeram associar aquela figura a de um palhaço; um pouco mais de atenção e as imagens do Coringa, o arqui-inimigo do Batman, encaixou-se na figura do sujeito, e ele compreendeu que aquela voz era a mesma usada nos espetáculos circenses.

A porta moveu-se. Mila projetou-se para fora. Ela tinha um brilho intenso no olhar, que denunciava sua expectativa e a ansiedade para chegar logo à seção de calçados. Ajeitou-se como um pássaro, aprumando-se, constatou Iang ao observá-la. Quando ela saiu apressada, ele pôs-se a segui-la.

– Mila, você viu quantos andares tem este lugar? Poderia jurar que não parecia tão grande lá de fora – disse.

– Que diferença faz, meu bem? Lojas muito grandes costumam confundir a gente. Quantas vezes não erramos as saídas dos magazines ou esquecemos a vaga onde colocamos o carro? Depois damos um ajeito. Vem cá! Ajude-me a escolher, neném.

Antes de prosseguir, Iang virou-se na direção do elevador, atraído pelo tilintar do mecanismo. O ascensorista estava parado na porta, ele os observava como se quisesse ter certeza que os dois continuariam na direção das prateleiras de sapatos. Quando Iang fixou sua atenção, espantou-se com o rosto magro. Tinha um sorriso pintado como os palhaços, uma caricatura medonha, os olhos vermelhos e injetados encaravam-no. O elevador tilintou uma segunda vez e engoliu aquela figura bisonha; com um único zumbido, a máquina se elevou. Iang nem teve tempo de mostrar a Mila a face do ascensorista. Com velocidade espantosa, o mecanismo desapareceu na torre metalizada.

Era o mesmo ascensorista? – perguntou-se Iang, confuso.

À frente abria-se uma galeria imensa. A surpresa os fez esquecerem--se do ascensorista. Diante deles, uma enorme ala com milhares e milhares de pares de sapatos. Iang caminhou pelo carpete mostarda, os manequins sorrindo eternamente, de uma forma que daria cãibras em qualquer um. Um cartaz dizia: *"Aqui você encontra de tudo, coisas que nunca imaginou"*. Totens das marcas mais famosas exibiam rostos conhecidos do meio esportivo ou do cinema que, em posições atléticas e elegantes, exibiam seus calçados. Por todo o teto pendiam sapatos e acessórios, em prateleiras que se estendiam quase infinitamente, não permitindo ver onde começavam nem onde terminavam. Olhando aquilo, a sensação de Iang era que formavam um exótico sintetizador, onde os teclados eram formados de sapatos colocados em camadas que subiam até o teto, fileiras de canapés servidos em estranhas bandejas, prontos para serem calçados. Um delírio para Mila.

– Trigésimo sexto andar! – Mila repetiu e ergueu os braços, maravilhada.

Iang estava tão irritado que não só não reparou na altura do prédio como no nome do lugar. Censurou-se por isso. Mila ajeitou-se e tomou-lhe a frente, na direção dos corredores repletos de calçados. A cada início de prateleira, dezenas de fotos e cartazes de diferentes atores e atrizes famosas, cantores populares, bailarinas e campeões do esporte, jovens e atléticos, exibiam largos sorrisos e os pés calçados com as melhores marcas: Cocker,

Zuper, Fox-rain e centenas de outras. *Sem dúvida, as melhores!*, refletiu Iang, enquanto alisava uma perna de manequim, tão sedosa e tão perfeita que se parecia muito com a pele humana. Gostou de tocá-la. Ele conhecia cada um daqueles artistas e atletas, porém, alguma coisa naquelas fotos lhe causava apreensão e ele não soube dizer o que era.

– Não é incrível, Iang? – disse Mila, apertando as mãos para aplacar sua ansiedade diante daquelas ofertas. – Eu nem sei por onde começar. Onde estão os vendedores? Hei! – Mila gesticulava para a sala vazia, os dedos batendo como pequenas asas, querendo chamar a atenção de alguém para atendê-los.

Subitamente, de trás de uma pilha de calçados, saiu um vendedor. Se Mila e Iang tivessem prestado mais atenção ao ascensorista, veriam que ambos eram idênticos, exceto pelas roupas. O mesmo corpo esquelético, um sorriso pintado grosseiramente e imortalizado no seu rosto, a gravata colorida exageradamente vermelha e óculos de aro de tartaruga. Ele ajeitava delicadamente um bigodinho fino que encimava sua boca pintada. Iang estava prestes a comentar com Mila a ausência de clientes, quando o sujeito quase saltou diante dela.

– Pois não? – perguntou o vendedor, abrindo um sorriso forçado e exibindo os dentes amarelados em contraste com a pintura branca em torno da boca.

Iang atribuiu aquelas roupas e maquiagem a algum tipo de iniciativa promocional de vendas, já tinha se acostumado aos coelhos, Papais-Noéis, Fadas do Dente e vendedores usando todo tipo de enfeite e fantasias, alguns ridículos, como o homem hot-dog, para alavancar vendas.

– Em que posso ajudá-los? – perguntou o vendedor, enquanto enrolava e desenrolava a ponta da gravata entre os dedos, como se fosse um brinquedo tipo "língua de sogra", visto em festas infantis. Iang achou que a gravata trazia um desenho obsceno em sua estampa, mas a forma como o tal sujeito a movimentava confundiu-o.

– O rost... – Mila apontou seu dedinho gordo para o sujeito e começou a falar com Iang, porém o vendedor atalhou sua fala. Com um gesto brusco, esticou um dos braços, apontou para o alto e, então, girou o dedo indicador no ar como um mágico distraindo a atenção da plateia e depois apontou para o seu próprio rosto. Aquele gesto emudeceu Mila.

– Isto?! – O vendedor manteve um dos indicadores apontado para o rosto. – Hum... Coisas da gerência. Uma forma de parecermos mais descontraídos, alegres, larari, larará... – ele cantarolou e completou com uma piscadela -, é divertido, não acha?

-Hã... sim. – Mila olhou para Iang e fez uma careta que denunciava a confusão em sua cabeça. – Como você...

– Gilbert! G I L B E R T – ele soletrou o próprio nome, movendo a cabeça como um boneco de mola e mantendo a mesma musicalidade a cada letra.

– Sim, Gilbert... Eu gostaria de ver uns modelos... – Mila começou a explicar.

Gilbert esticou a mão bruscamente, bem diante do rosto dela. Mila assustou-se. Como um policial controlando o trânsito, ele manteve a mão espalmada diante dela, impedindo-a de falar.

– Eu sei exatamente o que a senhora procura. – Moveu um dos braços que mantinha posicionado nas próprias costas, as pernas juntas, os pés abertos num ângulo aberto, como fazem os garçons. Em seguida Gilbert ergueu um par de sandálias, como uma joia, um pingente, balançando diante do rosto de Mila, que não pode disfarçar sua surpresa. Ela esqueceu-se por completo da aparência do vendedor e agarrou o sapato como uma criança recebendo um brinquedo novo.

– É... É lindo! É justamente o que estava imaginando, como pode? – Os olhos de Mila brilharam quando ela virou-se para Iang com o sapato, pronta para pedir sua opinião; então, teve um súbito momento de lucidez e perguntou:

– Mas e o preço?

O vendedor tinha adivinhado novamente o pensamento de Mila. Ele levou sua mão até bem próximo dela e, como fazem os mágicos quando executam o truque de tirar moedas de lugares mais inusitados, retirou a etiqueta com o preço bem de trás da orelha dela. Manteve-o diante dos olhos de Mila, seguro entre o polegar e o indicador.

– Uau! – explodiu Mila, olhando os valores anotados. – Só isso?

Gilbert moveu a cabeça confirmando, porém Iang viu que seu pescoço fez um movimento que lembrava um boneco de molas, cuja cabeça pulava rapidamente com pequenos solavancos.

Ele respondeu:

– Sim, sim, simsimsimsim...

Também seus dedos eram finos e brancos como galhos ressequidos, o que provocou arrepios em Iang. De repente ele sentiu que precisava beber algo, necessitava ocupar-se com alguma coisa, queria mesmo sair dali. Acompanhar a mulher em compras era para ele um castigo imposto aos maridos do qual ele não fora avisado. Iang estava aborrecido com aquela situação, mas o que mais o incomodava era que ainda continuavam sós naquele imenso lugar. Ele se perguntava onde estariam as outras pessoas.

— Estou espantada! É tão... Tão, como direi... — Mila não conseguia mais se conter.

— Barato? — completou Gilbert, sorrindo satisfeito.

Iang notou que seu sorriso verdadeiro era pior do que aquele que trazia pintado ao redor dos lábios, não tinha nada de gentil, era assustador. Mila, no entanto, ignorava tudo, maravilhada com as prateleiras e as possibilidades.

— Você viu esses preços, Iang? — Mila finalmente virou-se para ele. — Como podem?

— A senhora deu sorte. Nossa gerência resolveu fazer uma promoção surpresa, justamente hoje! E como temos os maiores estoques, as melhores marcas, e uma... clientela muito es-pe-ci-al — e Gilbert silabou a palavra "especial", cuidando de fixar os olhos em Mila e mover as sobrancelhas para ela como um palhaço esperto — e larari, larará... — tornou a cantarolar. Depois, ficou sério e perguntou: — A senhora não ia querer perder seu tempo com estas explicações, quando pode gastá-lo com estas maravilhas, concorda?

– Sim! Estou muito satisfeita com o tratamento de vocês... – Mila começou a dizer.

O vendedor fez uma mesura com o corpo, como se fosse um mordomo inglês, e agradeceu o elogio de modo exagerado. Iang percebeu algo de estranho e ruim nele.

– Acho que hoje é mesmo o meu dia! – completou Mila.

– Pode apostar nisso – respondeu com um sorriso maligno, Gilbert.

– Posso ver outros modelos? – quis saber Mila.

– Por aqui, por favor. – Gilbert curvou-se, indicando o lugar e dando passagem para Mila. Seu gesto encantou-a.

Porém, Iang estava a cada minuto mais entediado. Não achava nada engraçado no vendedor. Para ele, os gestos, a fala e a gentileza tinham muito de ironia e escárnio, até onde ele podia pressentir. Além do rosto pintado do vendedor, suas roupas não se ajustavam, muito largas para um corpo tão magro e os olhos felinos, vivos demais... *Olhos com maldade!* – pensou Iang. Foi então que ele percebeu que Gilbert o observava, como se tivesse ouvido seus pensamentos. *Ele sabe!* Iang pode sentir o rubor e o calor em suas faces, quando seus olhares se cruzaram. Gilbert repetiu os movimentos com as sobrancelhas como fizera para Mila, como se pudesse ler seus pensamentos.

– O cavalheiro deseja ver algo em particular? – As sobrancelhas de Gilbert arquearam rapidamente.

– Oh! Querido! Você poderia aproveitar a ocasião... – disse-lhe Mila.

– Gosto dos meus mocassins, são novos e bem confortáveis – explicou Iang para o vendedor, apontando os pés.

– Temos modelos masculinos também... – sussurrou o vendedor para Iang.

– Não. Estou apenas acompanhando minha esposa... – As palavras saíram roucas de sua garganta.

– Compreendo – disse Gilbert e virou-se outra vez para Mila. – A senhora já se decidiu?

– Eu gostaria de ver outros modelos! Aqueles que estão no caderno de anúncios. – Mila continuava empolgada, esquecendo-se de todo o resto e dominada pelo desejo de consumo.

– Hum! Andou vendo nossas maravilhas, hein? A senhora tem um gosto muito apurado, devo dizer... – O vendedor enrolava a ponta da gravata. – ...Volto já, jaaá! – disse, dando uma entonação musical à última palavra e afastou-se gingando, flanando os braços, movendo-se como um bailarino num comédia musical dos anos 60.

Gilbert desapareceu. Mila suspirou fundo, seus olhos maravilhados, sorrindo para os anúncios.

Em algum ponto da loja, Gilbert escorregou no piso, emitindo com a boca sons que imitavam a freada de um carro. Para quem observasse, a cena lembrava um desenho animado do Papa-Léguas fazendo uma curva fugindo do coiote. Ele parou diante de uma pilha de caixas de sapatos amontoadas num dos corredores e contornou-as. Duas pernas femininas saíam do amontoado. Era parte de um corpo inerte que estava sob a pilha de caixas. Gilbert ergueu uma das caixas, descobrindo o rosto de uma mulher. Uma mosca voou por sobre o nariz da morta, então, Gilbert deu-lhe um piparote.

– Xô! Xô para lá! – disse para a mosca e depois se voltou para o cadáver, olhou-o com certa ternura e abriu um sorriso satisfeito.

– Vamos ter que achar outro modelo para você, querida... Oh! Eu sei que demorei... Mas acho que você já não tem mais pressa... Não é mesmo? – Ele deu uma gargalhada e depois transpôs aquele obstáculo com um pulinho da dança.

Com os olhos abertos e fixos no teto, a mulher ruiva tinha um salto de sapato cravado na testa; um filete de sangue corria de um dos cantos de sua boca, seu corpo começava a inchar com a evolução dos mecanismos da morte, estufando-a.

Gilbert deu um rodopio e saiu, levando as caixas de sapato.

Iang observava a mulher. Pensou que pelo menos por algum tempo eles tinham conseguido ficar juntos sem discutir. No entanto, ele continuava incomodado com aquele lugar e com o vendedor, podia jurar que o sujeito lera seus pensamentos e adivinhara seus receios. Correu os olhos em torno. Eles estavam ilhados por centenas de cintos, bolsas e outros acessórios, por fim, sapatos e mais sapatos. Sentia-se oprimido pelas prateleiras que desapareciam em todas as direções. Teve a impressão que a qualquer momento curvar-se-iam sobre eles como uma avalanche, cobrindo-os. Estava nauseado com o cheiro de couro e um perfume adocicado que impregnava todo o lugar, até mesmo o elevador.

Coleção Horror e Mistério

– Preciso beber alguma coisa – falou consigo mesmo, mas Mila o ouviu.

– Você está bem, neném? – E a ruga de preocupação ressurgiu em sua testa.

Iang teve ímpetos de contar-lhe como de fato estava se sentindo, de pedir que ela o acompanhasse e que saíssem dali enquanto o vendedor não voltava. Quase lhe disse que aquele sujeito causava-lhe arrepios. Sairiam rapidamente, dando as costas aquele lugar. Ele queria contar-lhe que estava assustado, mas não sabia por quê.

– Estou bem, Mila, não se preocupe – foi o que conseguiu dizer –, minha garganta está seca... Acho que é o cheiro do couro destes sapatos... Não se preocupe...

– Se você não estiver bem, podemos ir embora... – Mila percebeu que Iang suava, mesmo com a climatização do ambiente.

Ele encarou-a. Por um momento quase lhe disse como de fato se sentia, então se lembrou do analista, das discussões e do telefonema.

– Tudo bem... Não vamos perder esta oportunidade... – concluiu, tranquilizando-a.

Mila relaxou e abraçou-se nele. Iang sentiu o calor da mulher e depois de muitos anos teve desejo de fazer amor com ela ali mesmo, como quando eram jovens. Mila correspondeu e ofereceu sua boca para um beijo.

– Querido... – ela sussurrou e Iang desejou-a ardentemente.

– Oh! Que cena mais tocante... – disse o vendedor surgindo do nada entre eles. E tirou um lenço colorido cheio de bolinhas do bolso e limpou lágrimas falsas. – Dois pombinhos, glu, glu, glu... – fingiu assoar o nariz com estardalhaço e em seguida enfiou-o no bolso da casaca.

Iang e Mila se afastaram um pouco, envergonhados. Ao lado de Gilbert, uma pilha de caixas de sapatos de todas as cores e formas; depositou-as ao lado de Mila. Depois, abriu um sorriso quase obsceno e ofereceu as sandálias a Mila, suas mãos finas e brancas exibiram unhas compridas e negras, com sujeira acumulada. Como um prestidigitador, ele retirava os sapatos das caixas como quem retira coelhos de uma cartola.

– São estas? – sorriu com satisfação o vendedor.

– Estas mesmo! – Mila parecia uma adolescente. Virou-se para Iang. – Não são lindas, neném?

– São – respondeu Iang, e não pode deixar de ver o olhar divertido do vendedor ao ouvir a palavra "neném".

– Feliz escolha! Feliz escolha, *madame*. – Ele fez questão de usar o tratamento em francês. – Posso ajudá-la? – Gilbert apontou para as sandálias. Mila estava maravilhada.

– Por favor – Mila respondeu e depois estendeu um dos pés para o vendedor.

Pés intumescidos de molhos à bolonhesa, tortas e bombons, uma caprichosa Vênus esculpida a garfo e colher, a voz disse no interior de Iang e ele censurou a si mesmo.

– Lindíssimo colo do pé, madame... – Os olhos felinos passearam debaixo das sobrancelhas, indo de Mila para Iang e de novo para Mila. – Se me permite dizer...

Iang poderia jurar que o vendedor ria do que ele tinha pensado.

Como? Bobagem! Foi como Iang aplacou sua dúvida, ninguém lê pensamentos. – *Tomara que fosse possível, assim esse sujeito ia saber que ele lhe causava arrepios... Onde, raios, se pode beber alguma coisa neste lugar?*

– Temos um excelente sushi bar com muitos *drinks* aqui, se vocês tiverem fome ou sede... – disse Gilbert sem olhar para Iang, porém este sentiu novamente a fisgada da dúvida.

Ele consegue adivinhar meus pensamentos!

Gilbert continuou:

– Seus pés são lindos, *madame*.

– O senhor é tão gentil... Quase não se encontram mais pessoas tão atenciosas com clientes hoje em dia...

– É que temos que amar o que fazemos... – sorriu lisonjeado o vendedor, mas sua alegria era a mesma do "Coringa" vendo o rato roer a corda que precipitaria o "Homem-morcego" no abismo, pensou Iang com certo divertimento. – Obrigado, madame... Agora vejamos como vai ficar esta belezinha – completou o vendedor e se pôs a calçar as sandálias nos pés de Mila. Sua dificuldade era visível, a ponto de porejar suor nas têmporas e morder a língua com o esforço. Mila contraiu o rosto com dor pela manobra de calçar as sandálias.

– Esse número talvez seja menor que o meu... O senhor não acha... – explicou-se Mila, com o constrangimento.

– Questão de jeito, madame – insistiu o vendedor, mantendo a pressão para colocar o calçado. Com manobras bruscas, ele continuava tentando.

– Ai! O senhor está me machucando! – gemeu Mila e seus olhos procuraram amparo em Iang, que a essa hora estava mais que aborrecido.

– Estou mesmo?! – Os olhos do vendedor se tornaram malignos por um instante, novamente, para finalmente a expressão relaxar quando ele viu que Iang o observava. – Talvez não seja o seu número, quem sabe um tamanho ligeiramente maior?

Mila sorriu, concordando. Iang soltou a respiração, que estivera presa pela tensão de observar Mila. O ar fugiu de seus pulmões como um desabafo. Precisava mesmo de um trago.

Enquanto o vendedor se retirava, Iang explicou a Mila que iria caminhar um pouco, quem sabe encontrar o tal sushi bar. Ela pensou em pedir que ele ficasse; alguma coisa naquele vendedor causava-lhe uma sensação ruim. Porém, Mila desistiu. Sabia quanto Iang considerava aquelas compras como um castigo pessoal e como ele deveria estar se esforçando para não contrariá-la. Achou melhor não impedi-lo.

Iang seguiu pelos corredores, eram tantos e tão iguais que em pouco tempo ele estava imerso num perigoso labirinto. Seu senso de orientação se confundiu totalmente quando ele procurou por Mila e não conseguiu mais vê-la. Nem mesmo o elevador que parecia tão próximo podia ser mais visto por ele. Por um momento, todas aquelas pilhas de calçados, se elevando até seus olhos não poderem mais ver, acabaram por provocar-lhe uma vertigem. Ele se apoiou numa das estantes. Alguns sapatos se desprenderam das estantes e caíram diante dele, os cadarços lembrando tentáculos movendo-se devagar na direção dos seus pés. Ele afastou-se com medo e atribuiu aquela visão à vertigem. Tinha que admitir que estava perdido dentro daquele labirinto. E embora pudesse parecer ridículo para um homem, ele resolveu chamar pela mulher para sair dali, precisava localizar-se, voltar para junto dela, por alguma razão teve receio que algo muito ruim acontecesse a Mila.

– Mila! – Ele chamou-a e ouviu apenas a resposta da própria voz, reverberada como se estivesse num túnel. Iang procurou visualizar o lugar, ouvir, orientar-se, não havia se distanciado muito, nem chegara a sair dali, ele achava... O vazio e o silêncio chagaram até ele como um sopro frio. Seus mais leves toques nos objetos produziam ecos por todo o lugar.

Vazio!

Olhando em torno, os sapatos empilhados eram agora como dentes projetados, como engrenagens de couro e borracha prestes a começar a triturar.

– Mila! – Ele tornou a chamar e havia angústia em sua voz. O eco repetiu infinitamente o nome da mulher. Pelo canto dos olhos ele teve a sensação que um dos manequins moveu-se. Iang tinha que sair dali, achou que aquele lugar estava provocando algum tipo de alucinação, encontraria Mila e a tiraria dali, mesmo que tivesse que arrastá-la.

Ele viu uma indicação que dizia: *Artigos para cozinha e jardinagem.*

Foi naquela direção, uma sucessão de corredores se abriu diante dele e Iang teve certeza que aquilo não era normal. As mesmas figuras, os mesmos manequins se repetiam em todos os lugares.

Mila gemia e se contorcia, enquanto o vendedor segurava um de seus pés, torcendo-o de modo a calçar-lhe a sandália à força.

– Você está me machucando. Se não parar, vou chamar meu marido.

– Não adianta gritar, madame. O seu marido está entretido... numa ligação particular... – sorriu Gilbert com sarcasmo.

Mila encarou-o surpresa, como ele poderia saber dos telefonemas?

Foi então que ela prestou atenção ao vendedor. Suas feições tornaram-se assustadoras. Sua face era diabólica, em seus olhos ela viu o horror e o ódio.

– Afaste-se de mim! – Mila empurrou o vendedor, mas seus pés não se soltaram das mãos dele, eram como garras.

– Um lindo colo de pé... Não é possível que eu não consiga calçar esta sandália... – Gilbert aproximou a boca do dorso dos pés de Mila e uma língua comprida e esverdeada lambeu-lhe a pele. Mila deu um grito e então viu quando ele levantou a cabeça e escancarou a boca exibindo enormes caninos amarelados. Ela chutou-o com força, livrando um dos pés que doíam.

– O senhor está louco, eu vou chamar o meu marido, vou contar tudo a ele. Iang!

Com o cabelo em desalinho, o suor brotando em sua testa, escorrendo em sua face formando veios que pulsavam, Gilbert exibia um sorriso sardônico que não escondia sua intenção. Ele se levantou. Para Mila, de alguma forma, ele estava mais alto, muito mais alto e sua figura era apavorante.

Não teve mais dúvidas, tinha que fugir. Com o rosto contraído de terror, conseguiu livrar-se do homem e correu. Sentiu uma dor forte numa das pernas, um de seus pés que o vendedor tentara calçar a sandália sangrava, cortes profundos deixavam um rastro de sangue por onde ela corria. Trôpega, saltando num pé só, lutando contra o próprio peso do corpo que parecia querer matá-la sufocada, ela enfiou-se pelas prateleiras.

Iang! Onde está Iang?

Ela parou um instante para recuperar o fôlego, o peito arfando. Escondeu-se atrás de uma prateleira, amaldiçoou sua obesidade, jurou que quando saísse dali faria um regime. Ouviu os passos de Gilbert vindo em sua direção e retesou o corpo como pôde, reduzindo a área de visão. Fechou os olhos e rezou para que ele não a visse. Gilbert passou por ela. Ela soltou a respiração por um instante, quase desistiu de procurar outro lugar para se esconder. Esperaria por Iang, ele teria que voltar. Relaxou um pouco, o pé sangrava, mas enquanto ela permanecia parada, a dor diminuíra de intensidade. Ela moveu-se devagar, avançando aos poucos, o rosto na direção onde Gilbert estivera até certificar-se que ele se fora.

Ninguém!

De onde estava podia ver o corredor. No entanto, alguma coisa havia mudado de modo estranho. O corredor se estendia como se não tivesse mais fim. Por uns instantes ela achou que o esforço da corrida estava fazendo com que ela tivesse visões, as imagens alongavam-se e contraíam-se, distorcendo o espaço. Mila teria permanecido ali por mais um tempo até estar recuperada, porém, os passos de Gilbert chegaram até ela.

Shopping Center Maldito

Ele voltou!

Ela precisava fugir. Moveu-se devagar, sem dar as costas para a direção de onde vinham os passos. Caminhando de costas, ela avançava vagarosamente a cada ruído, tentando manter a mesma cadência dos passos de Gilbert. Imaginou que se ela podia ouvir seus passos, ele também poderia ouvir os dela.

Os sapatos!

Descalçou-os. Descalça, esperava não fazer barulho. Olhou para a sandália e mordeu os lábios. *Tão linda!* Se tivesse uma chance, voltaria para buscá-las. Colocou-a de lado e moveu-se novamente de costas, os olhos fixos na direção de onde esperava que Gilbert viesse.

Quando achou que estava no fim da prateleira, virou-se para fugir. Foi quando viu a mulher elegantemente vestida num modelo Chanel. Não fosse por um detalhe macabro, ela tinha um tweed enfiado em sua garganta, sua face estava azulada. Mila deu um grito e fugiu como pôde. Logo atrás dela, Gilbert surgiu.

— Esses *modelitos* são de tirar o fôlego, não é mesmo, querida? — suspirou o vendedor, levantando as sobrancelhas para o cadáver. Ele olhou para o chão e movimentou a cabeça negativamente como reprovação; aos seus pés estavam as manchas de sangue deixadas por Mila. Gilbert deu um pulinho e foi na direção do rastro.

— Há, há, há! — A gargalhada de Gilbert ecoou por todo o lugar. — Seja bem-vinda ao grande Magazine, madame! — Sua voz soou sarcástica e ameaçadora. – Aqui temos ofertas de deixar qualquer um de queixo caído e queimas de estoque que a senhora nem pode imaginar.

Uma voz metálica, nesse instante, invadiu o sistema de comunicação interna.

"Ofertas relâmpagos! Trituradeira, máquinas de moer carne, roçadeiras, serras elétricas e larari, larará... Não deixe de visitar nosso setor de artigos para cozinha e jardinagem."

– Ouviu isso, madame? Uma trituradeira pode reduzir qualquer coisa a pó.

Atrás dela, o riso enlouquecido e grosseiro do vendedor ecoava por todos os cantos. Ao contornar um das prateleiras, Mila viu o corpo da mulher ruiva com um salto de sapato cravado na testa, que parecia olhar diretamente para ela, o filete de sangue na boca ressecado. Porém, seu horror aumentou quando viu que a mulher estufava, os botões de sua roupa a ponto de estourar e da sua boca um líquido esverdeado começou a borbulhar. Mila não pode olhar mais, uma náusea atingiu-a e ela correu.

Iang estava parado diante do setor de artigos de cozinha e jardinagem quando achou ter ouvido o grito de Mila vindo de muito longe, mas o que mais o apavorou foi a gargalhada que ecoou por todo o lugar, como se estivesse bem ao lado dele. Iang arrepiou-se por inteiro.

Será que foi mesmo um grito que ouvi? Mila está em perigo?

Ele decidiu não desconfiar mais de seus pressentimentos, acharia sua mulher e sairiam dali. Agora implorava para que ela estivesse bem e o que ele ouviu fosse só mais uma dessas ofertas anunciadas a todo instante nos magazines. Os olhos de Iang identificaram a estrutura de aço escovado.

O elevador!

Não podia explicar como se distanciara tanto, mas ainda assim encheu-se de esperança. Se ele alcançasse o elevador, teria uma boa noção de onde estava. Até onde se recordava, não tinham se afastado muito da entrada e ele lembrava-se do andar, trigésimo sexto. Caminhou na direção do elevador, mas seus piores pressentimentos se confirmaram, ele nitidamente ouviu os gritos de Mila, ela chamava por ele. Iang se desesperou, ele podia ouvir os chamados dela vindo de algum lugar daquele prédio, não sabia como, mas deveria ter subido ou descido para algum outro patamar. Teria sido a vertigem que o confundira? De qualquer modo, continuou chamando pela mulher, esperando ouvir a resposta. Seguiria a voz dela. Bateu com o punho na própria testa, precisava pensar com calma. Alinhou os pensamentos e achou que deveria retomar o plano inicial. Pelo canto dos olhos ele viu alguma coisa se mover e dessa vez teve certeza que não era uma ilusão, um dos manequins vinha lentamente em sua direção. O coração de Iang começou a pular no peito.

Num dos cantos ele viu um homem parado de costas para ele; vestia calças jeans surradas, uma camiseta preta colada ao corpo, cabelos loiros compridos, era forte e jovem. Iang quase pediu ajuda, mas alguma coisa não se encaixava e ele soube por que no instante seguinte quando o sujeito virou-se para ele. Era Kurt Cobain, o roqueiro líder da banda Nirvana. Kurt o observava à distância. Então ergueu uma espingarda e disparou contra a própria cabeça. Uma parte da cabeça de Kurt voou pelos ares e uma massa esbranquiçada destacou-se de todo o sangue.

Estou vendo o suicídio de Kurt Cobain!

Foi então que ele compreendeu porque ficara apreensivo com aqueles manequins e cartazes, eram todos de pessoas famosas mortas de forma violenta, suicidas, acidentados, assassinados, mortos por overdose, era arrepiante.

No entanto, Kurt Cobain não se deteve, vinha em sua direção com passos lentos e mecânicos, a cabeça aberta pelo enorme buraco que exibia parte do seu cérebro; um de seus olhos tinha desaparecido.

Iang começou a afastar-se dali com dificuldade, o medo o paralisava. Suas pernas pesavam toneladas, ele caminhava de costas sem poder tirar os olhos do roqueiro Kurt, que se movia como um morto-vivo.

Logo acima observou Ian Curtis, da banda Joy Division, enforcado com um cordão. Seu corpo girava lentamente de um lado para outro no ar, como um pêndulo macabro. Iang percebeu que o *band leader* tinha os olhos abertos e injetados e olhava em sua direção. Iang conseguiu livrar-se daquelas imagens hipnóticas e procurou uma rota de fuga, um corredor alongava-se infinitamente; ele decidiu-se por aquele caminho. No entanto, diante dele viu uma mulher com uma echarpe enorme enrolada no pescoço, seu rosto tinha uma cor azulada, a pele ressecada, os olhos pareciam pular fora das órbitas. Não podia acreditar no que via, estava diante de Isadora Duncan, a bailarina que criara os fundamentos da dança moderna, estrangulada com sua própria echarpe enquanto passeava em seu carro conversível. Isadora sorriu para ele de forma maligna, seus dentes estavam podres e negros. Iang pôde sentir, mesmo à distância, seu hálito pútrido, podia jurar que a dançarina havia saído do túmulo naquele instante e dançava de modo desarticulado e assustador.

Correu na direção oposta, só pensava em fugir. Então, lembrou-se de Mila, onde ela estaria? Ele tinha que alcançar o elevador. A torre metálica estava lá e o tilintar das portas o guiaram. Correu na direção do elevador. De onde estava podia ver suas portas abertas e o interior vazio, era sua chance de escapar. Ele correu o mais que pôde, pularia no interior e se tivesse sorte, a velocidade do mecanismo o tiraria dali.

Foi então que ele ouviu um chamado de criança. Iang deteve-se um instante, procurou por todos os lados, até que viu alguma coisa atrás de uma bancada, uma menina com talvez seis ou sete anos, não muito mais, encolhida e assustada. Próximo dela, encostado a um Porsche 550, conversível, James Dean. O ator estava parado de lado, vestia calças de brim, uma camisa listrada, botas e chapéu de cowboy. James Dean pegou um cigarro e levou-o à boca; então, ao virar-se para acendê-lo, Iang viu que parte de seu rosto não existia, os dentes surgiam descarnados e toda a face estava negra, queimada, parte do corpo do ator, que morreu num acidente em seu Porsche, estava aos pedaços. James Dean viu a criança quase ao mesmo tempo em que Iang. O ator morto atirou o cigarro para o lado, depois de dar uma tragada e deixar a fumaça escapar por todos os buracos de sua face e moveu-se para a menina.

– Mamãe! – chamou a criança.

Iang olhava para o elevador com as portas abertas e para a menina encolhida, James Dean estava indo em sua direção, seu rosto desfigurado e o corpo exibindo as entranhas eram uma visão paralisante. Logo atrás, Isadora Duncan e Kurt Cobain vinham na mesma direção. Ian Curtis não estava mais no alto, vinha logo atrás, arrastando o fio que o enforcara. Iang correu até a menina, abraçou-a. James estava muito próximo e contornou a bancada, mas Iang foi mais rápido e chutou-o. O cadáver do ator cambaleou. Logo à sua frente, Kurt Cobain e Isadora Duncan barravam seu caminho. Iang viu que a porta do elevador continuava aberta.

Por quanto tempo?

Iang desesperou-se, mas quando a criança escondeu o rosto em seu peito, ele soube que tinha que escapar dali. Correu para o elevador, afastando-se dos mortos que vinham em sua direção. Teve a impressão de ver John Kennedy segurando o nó da gravata enquanto uma mancha de sangue aumentava na sua garganta.

Iang estava em boa forma, praticava esportes regularmente, mas a dor nas costas que o incomodara durante toda a viagem cobrava seu preço, fisgadas atravessavam seus músculos. A dor e o peso da criança em seu colo o impediam de avançar mais rápido. Ele olhou para trás e uma dezena de rostos famosos, todos mortos, vinham de todas as direções. Iang viu Marilyn Monroe deixar seu vestido branco, em tiras e sujo de terra, subir mostrando sua roupa de baixo; ela tinha uma cor acinzentada e de seu corpo corrompido se desprendia um perfume adocicado, a marca preferida da atriz misturada ao cheiro dos mortos. Iang então compreendeu de onde vinha aquele aroma que impregnava tudo. Não esperou para ver quantos mais seguiam na sua direção e correu, o elevador estava a poucos metros.

Iang podia ver seu interior pelos vidros panorâmicos, vazio e sem sair do lugar. Logo atrás, os cadáveres famosos se aproximavam.

Vindos de algum lugar, ele podia ouvir os gritos de Mila.

– Eu quero a mamãe – disse a garota, agarrando-se ao pescoço dele.

Iang ergueu a menina no colo. O elevador estava estranhamente receptivo para ele, a porta semiaberta impedia a visão total do interior, estaria o ascensorista dentro? Um arrepio percorreu a espinha de Iang.

Armadilha!

A porta deu alguns solavancos quando ele esmurrou o painel e se abriu. Então a menina falou:

– Eu quero a mamãe.

Iang virou-se para ela, que fora deixada aos seu pés, porém o que ele viu não foi mais a face de uma menininha, mas a cara medonha do ascensorista, que era a mesmo de Gilbert. A criança havia se transformado, tinha a expressão malévola, seus dentes amarelados formavam uma linha de presas, os olhos fitavam-no de forma maligna. Aquela monstruosidade agarrou suas pernas, cravando os dentes e garras nele. Iang lutou com ela, a porta ainda aberta e os cadáveres vindos em sua direção. Chutou com força aquela criança monstruosa e empurrou-a para fora do elevador. A criança Gilbert chocou-se contra a fila de cadáveres, detendo-os.

Iang bateu nos botões, enquanto puxava a porta para trancá-la. O mecanismo cedeu, a porta do elevador fechou-se e ele ouviu o tilintar do mecanismo. Caiu sentado contra o vidro e uma sensação de alívio tomou conta dele, a ponto de projetar lágrimas em seus olhos. Comprimiu a face e chorou com desespero.

Um relance do olhar e pôde ver que o shopping estava cheio, repleto de pessoas, homens, mulheres e crianças, mortas, estranhas famílias de cadáveres brincavam sem nenhuma emoção nos parques internos, ou sentavam-se em mesas olhando-se estáticas; outras se moviam pelas rampas e lojas. Ele não pode deixar de notar que todas pareciam observá-lo de todos os pontos onde estavam e, também, tinham um sorriso de palhaço pintado em seus rostos para esconder a profunda tristeza que exibiam. Iang compreendeu que aquelas deveriam ter sido pessoas como ele e Mila, atraídos pelas ofertas do shopping e agora estavam mortas. Se havia um inferno de verdade, eles haviam entrado nele e não havia labaredas, línguas de fogo e enxofre, mas sim ofertas ótimas e almas condenadas por um demônio vendedor que os faria consumir eternamente.

Seu pensamento retornou a Mila. No dispositivo interno de som do elevador Iang ouviu uma voz com timbre metálico, que ele reconheceu como a do vendedor de sapatos. Ele anunciava as ofertas.

"Não percam nossas ofertas! Agora mesmo estamos liquidandooo tudo! De carpetes, brinquedos, material de pesca a esposas perdidaaaas."

Há, há, há! – uma gargalhada arrepiante veio em seguida. Iang protegeu os ouvidos, apavorado. Ele olhou para o painel digital do interior do elevador que indicava os andares, a numeração subia do vigésimo para cima.

Trigésimo sexto andar!

Iang levantou-se. A sensação de deslocamento agora era real, o elevador ora subia, ora descia a uma velocidade vertiginosa. E de uma forma que Iang não podia compreender. O mecanismo adquirira um movimento que o projetava contra o fundo ou contra as paredes laterais, como se tivesse vida própria e quisesse feri-lo. O elevador deslocava-se velozmente para cima para em seguida cair vertiginosamente, atirando-o contra suas paredes, ferindo-o na face e no corpo. Iang entendeu que aquele mecanismo pretendia matá-lo. O elevador fazia paradas bruscas, suas portas se abriam e a voz metálica gritava: "Joias e bijuterias!" e antes que ele pudesse saltar, fechava-se novamente, quase o esmagando numa das vezes que tentou transpor a porta. Partia imediatamente para atingir outro piso e anunciar: "Roupas masculinas e assessórios!" e seguia de andar em andar. A voz tinha uma sonoridade musical que ele reconheceu como sendo a mesma que Gilbert usara.

"Infanto-juveniiiil" "Cama e mesaaaa!" "Artigos para cozinhaaaa!" "Materiais de piscinaaaa!" "Esporteeees!" "Jardinageeeeem!".

Tão rápido e tão alto que Iang achou que ia enlouquecer. O elevador continuava seu trajeto, atirando o corpo de Iang contra as paredes. Agarrado a uma das laterais, ele achou que iria morrer.

Mila corria ofegante pelos corredores. Chamava por Iang ao mesmo tempo em que temia que seu chamado alertasse o vendedor, denunciando onde ela se encontrava. Precisava achar o marido e amaldiçoou a sua forma física, estava a ponto de ter um colapso. Exausta, apoiou-se num manequim que apontava para um lugar da loja. Um balão como os dos gibis alertava: "Sinta-se em casa"

Ela olhou para o interior e os totens de artistas e modelos pareciam observá-la. O silêncio a incomodava ainda mais. Enquanto ouvia a voz do vendedor, podia calcular a distância que a separava de seu perseguidor. Então, não ouviu mais nada, os sons dos passos dele vindo atrás dela cessaram. Teria ele desistido? Ela teria conseguido despistá-lo? O silêncio apavorante oprimia seu peito. Ela perscrutava por todos os lados, caminhava entre as prateleiras, temendo que a qualquer momento Gilbert saltasse sobre ela. Foi quando Mila viu o setor de chocolates. Suas mãos tremeram, milhares de caixas coloridas de bombons estavam diante dela. Mila queria fugir, porém uma dor funda fez seu estomago vibrar e emitir sons. Ela aproximou-se do líquido marrom que escorria em cascatas, grossas correntes impregnavam o ar do aroma de chocolate. Esqueceu-se por completo do medo, aparou o líquido quente e doce nas mãos em concha e bebeu satisfeita. Depois, começou a abrir as caixas com desespero, precisava daquilo, ansiava por comer aquelas delícias. Em pouco tempo seu rosto e suas mãos exibiam as manchas de chocolate, parecia uma criança lambuzada. A sensação de prazer percorria todo o seu corpo. Fechou os olhos, adorando aquele sabor e relaxando recostada às caixas de chocolate.

Um clarão como um flash despertou-a por um instante. Subitamente, um corpo caiu do teto, estatelando-se diante dela. Era uma mulher que tinha o corpo todo chamuscado, os cabelos grudados como uma pasta derretida na cabeça, cheirando a queimado. Seu corpo fumegava. Ainda assim, tinha um sorriso de palhaço grosseiramente pintado no lugar da boca. Mila deu um grito, apavorou-se e virou-se para fugir. Então, parou, voltou e pegou mais uma caixa de bombons e correu, chamando por Iang. Mas quem respondeu foi Gilbert e suas palavras saíram cantadas.

– Mais uma freguesa que aproveitou a nossa liquidação relâmpago! Há, há, há!

Iang lutava para manter-se no interior do elevador, que agia como se tivesse vida própria. Alcançou o painel que assinalava os andares, tinha que fazer o mecanismo parar no trigésimo sexto andar, onde sabia que havia deixado Mila. Antes, porém, tinha algo a fazer; apertou o botão do vigésimo quinto andar, o elevador moveu-se por uns instantes, depois deu um solavanco e parou bruscamente. As portas se abriram e Iang encontrou o que procurava.

Vigésimo quinto andar! Material de caça e pesca!

Ele lembrou-se do ascensorista. Saiu do elevador e seguiu pelo corredor à sua frente, sabia o que precisava fazer antes de encontrar Mila.

Mila estava no setor de eletrodomésticos. Seu rosto estava sujo de chocolate e seus dedos deixavam marcas do doce nos objetos. Centenas, milhares de itens, máquinas lavadoras, fornos, fogões, refrigeradores, formavam fileiras sem fim, exibindo um branco luminoso. A cor branca e os metais frios envolvidos pelas luzes fizeram-na pensar na solidão de um necrotério. Descobriu que o silêncio daquele lugar era mais aterrador que a voz e as risadas de Gilbert. Diante dela, os refrigeradores colocados lado a lado eram sombrios. Suas portas pareciam bocas prontas a abrir-se e engoli-la. Assustada, ela caminhava entre as fileiras muito devagar, temendo aproximar-se muito e ao mesmo tempo com a sensação que olhos malignos a observavam. Ela podia sentir, sua respiração estava cada vez mais ofegante. Ouviu um barulho.

– Iang! – ela arriscou chamar pelo marido.

Um estalido, um ruído e um movimento que perpassou por seus olhos, um vulto, ou apenas a luz e a imaginação combinadas de forma a maltratá-la. Mila pensou no quanto o medo podia doer.

– Iang, é você, neném? – Mila não obteve resposta e seu coração começou a bater desesperadamente no peito. Ela caminhou com cuidado na direção de onde vinha o ruído, o suor turvando seus olhos, empapando seu pescoço, formando manchas sob os braços.

– Quem é que está ai? – Mila perguntou, e sua voz não podia disfarçar o horror.

As mãos gordas parecendo gomas, os dedos cheios de anéis sujos de chocolate, escorregadias e úmidas de suor, deslizavam pelos refrigeradores. Ela avançava aos poucos pelo corredor. Mila apoiou as costas nos freezers para recuperar o fôlego, o coração aos pulos. Ela tornou a ouvir, ou teve a impressão de ouvir a voz do marido pedindo ajuda, porém o som era abafado.

Iang!

Mila apurou os ouvidos. O som vinha do interior de um dos freezers verticais à sua esquerda. Moveu-se vagarosamente naquela direção e colou o ouvido num dos aparelhos de onde tinha certeza vinha o som. Seus dedos tocaram o puxador. Por um instante ela vacilou, afastou-se um pouco, observou, atrás daquela porta havia alguma coisa, mas o quê? Resolveu sair dali, no entanto, o som abafado de socorro tornou a sair do freezer. E se Iang estivesse preso ali dentro? Mila lutava consigo mesma e com o pavor, mas não tinha escolha se quisesse ter certeza que não estava abandonando o marido no interior daquele objeto. Ela abriu a porta. No interior, um homem morto, coberto de agulhas de gelo, mantinha um "ó" congelado nos lábios enquanto segurava uma latinha de tonificante. Logo acima, o slogan: "Zellen, o único que garante a você um congelamento rápido." O corpo inclinou-se na direção de Mila, que bateu a porta do congelador trancando o cadáver novamente e correu o mais que pôde. Arfando, amaldiçoando o próprio corpo, ela caía e levantava-se durante a fuga. Seus movimentos atabalhoados fizeram com que parte dos produtos viesse abaixo, provocando um barulho que ecoou por todo o lugar. Logo atrás dela a gargalhada vinha, seguida da voz:

– *Não precisa apressar-se, Madame! Eu já vou atendê-la.*

Mila corria, porém, a voz de Gilbert estava cada vez mais perto.

Iang afastou-se do elevador, o corpo dolorido, a dificuldade para manter-se em pé devido aos ferimentos sofridos no interior daquela cabine infernal. Suas mãos sangravam e seus joelhos estavam inchados, o que atrasava seu avanço. No setor de caça e pesca ele viu presas às paredes as cabeças de animais empalhados, de modo a sugerir que estavam prestes a atacar. Logo abaixo, um balcão e uma vitrine trancada exibiam uma coleção de armas de caça de todos os tipos. Iang avançou até o balcão das armas, protegeu o cotovelo com o que sobrava de seu paletó e bateu com força, quebrando o vidro que o separava das armas. Pegou uma cartucheira, uma arma de caça, arrematou um punhado de cartuchos. Suas mãos estavam trêmulas e escorregadias pelo sangue. Apoiou-se como pôde num dos lados do balcão, evitando firmar-se nas pernas, não confiava nelas, e começou a carregar a arma com dificuldade. Tinha pressa, muita pressa. Cambaleante, ele avançou pelos corredores. De algum lugar, os gritos de Mila chegaram aos seus ouvidos, misturados a coisas caindo e a gargalhada que ele sabia muito bem de quem era.

Eu estou indo, meu bem!

Um tigre empalhado exibia um rosnado sem som, eternizado. Iang achou-o ameaçador. Passou pelas cabeças empalhadas, virando-se de uma para outra. Quando estava prestes a sair dali, ouviu o rosnado. Um arrepio correu toda sua espinha, às suas costas o tigre empalhado estava parado e seu corpo tomara a forma completa, não era um animal normal. Olhos negros da criatura o fitavam ameaçadoramente, as presas à mostra, pronto para atacar. Iang virou-se e atirou naquela coisa. No instante seguinte o tigre se transformara num manequim destroçado, espalhando tufos de algodão chamuscado pela loja. Iang soube que, fosse o que fosse, aquilo não poderia detê-lo. Avançou, passando por cima dos restos do tigre. Tinha dificuldades para puxar o ar. Examinou seus ferimentos, havia sangue em seu peito e provavelmente algumas costelas quebradas. Respirar tornou-se difícil. Logo atrás dele, o elevador tilintou, mas dessa vez Iang não teve receios, correu na direção dele. Estava preparado para enfrentar o que fosse.

Mila seguia pela seção de eletrodomésticos. Estranhamente, um cheiro de fritura chegou até ela, um aroma agradável, que fez com que tivesse vontade de rir e chorar ao mesmo tempo. Aquele aroma lhe deu fome.

Shopping Center Maldito

Uma boa hora para saber se estou preparada para um regime.

Ela seguiu, atenta a qualquer movimento, sabia que Gilbert não deveria estar muito longe. Se tivesse sorte, poderia esconder-se e esperar que Iang tivesse ouvido seus chamados e viesse em seu socorro.

O calor do ambiente era tão intenso quanto o aroma de carne assada. Ao levantar os olhos, ela viu o que parecia um forno vertical, com seus espetos girando lentamente. Porém, ao invés de carnes, uma cabeça rodava como uma costela dourando antes de ser servida, a pele fritava com o calor e um dos olhos explodiu no exato instante em que Mila permanecia paralisada diante da churrasqueira. Ela deu um grito ao perceber que, em pé, ao lado do forno, estava Gilbert, vestido como um *chef* grotesco. Ele esboçou um sorriso e apontou um garfo enorme na direção das panelas. Horrorizada, Mila viu que no interior partes humanas cozinhavam.

– A madame não quer aguardar um pouco? Adoraríamos tê-la para o jantar... – ironizou Gilbert, o cozinheiro maligno. Mila começou a gritar e correu. O mestre-cuca passou uma colher por uma das panelas e provou o caldo estalando a língua. – Divino!

Mila correu por entre as fileiras de eletrodomésticos. Enquanto fugia, olhando a todo instante pelos ombros para ver onde estava seu perseguidor, ela escorregou e caiu. Seu desespero e o medo a impediram de ver a espuma que escapava de uma das lavadoras de roupas. Mila pensou que em outra ocasião adoraria ter uma daquelas. A máquina soltava uma espuma que deveria ser branca; no entanto, saiu da tonalidade branca rosada para o vermelho vivo e ela compreendeu que aquilo não era excesso de detergente e sim sangue. Borbotões de sangue brotavam para fora da lavadora; no interior, um braço humano se destacava no meio das próprias roupas. Mila não sabia para onde fugir, todos os aparelhos à sua volta começaram a funcionar sozinhos e de todos a espuma rosa escapava, formando cascatas rubras e pegajosas pelo chão, ilhando-a aos poucos.

A atenção de Mila foi despertada por um disparo ao longe. Por alguma razão ela sabia que era Iang, acreditou em seus instintos. Gritou pelo marido e correu na direção de onde viera o som do disparo.

Iang apertou os botões do elevador e dessa vez a cabine moveu-se rapidamente sem solavancos. Parou um andar acima do trigésimo sexto; por mais que insistisse batendo nos controles, o elevador não respondia, ele adivinhou que o que quer que fosse desejava que ele descesse naquele andar. As portas do elevador se abriram e diante dele um banner indicava ser aquele o setor de artigos esportivos.

Alguém quer que eu me exercite um pouco...

Iang aceitou o desafio, a arma em punho deixou-o confiante e ele pensou que teria que descer apenas um andar e estaria ao lado de Mila. Até onde se lembrava, à sua direita havia uma escada que ligava os andares. Caminhou com dificuldade até as escadas; o corredor tornou a alterar-se como um elástico tracionado, distanciando-o das escadas. Seus passos cambaleantes e sua visão estavam turvados pelo suor e cansaço. À medida que caminhava pelo setor de esportes, viu um sujeito que corria amarrado a uma esteira elétrica, seus músculos pendendo da sua carne, estava morto.

Shopping Center Maldito

Um morto que corre!

Iang pensou que aquele sujeito exagerara nos exercícios. O cadáver na esteira parou seu movimento e veio na direção de Iang, que disparou duas vezes. Uma explosão indicou que o tiro atingiu o alvo, mas quando Iang recuperou a calma, não havia nada lá além de uma esteira vazia, em movimento, diante dele. Ele enxugou o suor que escorria turvando seus olhos e disse a si mesmo que precisava acalmar-se se quisesse encontrar Mila. Estava começando a ter alucinações. Correu para a escada rolante, os degraus avançavam para baixo sem que ele pudesse ver seu fim. Apoiou-se e começou a descer, pois sabia que só precisava descer um andar e estaria ao lado de Mila.

Mila, em fuga, passou pelo setor de brinquedos. À sua frente estava o elevador. Imaginou que aquela era uma forma de poder olhar os andares e pelo vidro panorâmico esperava encontrar o marido. O elevador estava parado e vazio. Aproximou-se da entrada e então percebeu que todo o interior estava revirado, manchas de sangue estavam por toda parte. Viu um dos mocassins que Iang usava. Seu desespero aumentou e ela começou a chorar agarrada ao sapato. Em seguida afastou-se horrorizada do elevador, não conseguiria entrar ali e suas esperanças de encontrar Iang vivo começaram a se esvaziar.

Mila retornou por onde viera, ia na direção das escadas, porém, novamente o ambiente havia mudado: as prateleiras continham outros produtos e uma música ambiente infantil chegava a seus ouvidos. Por alguma razão, atrás dela o setor de eletrodomésticos tinha desaparecido e em seu lugar havia uma seção infantil. Brinquedos emitiam musiquetas e se movimentavam, pequenas bailarinas dançavam em suas caixinhas de música, trenzinhos corriam por trilhos, ursos batiam pratos e brinquedos eletrônicos produziam ruídos de disparos e sons de explosões. Mila percebeu horrorizada que, na entrada, uma mulher sem vida, de cabelos esvoaçantes, rodava algumas crianças mortas num pequeno carrossel. Uma babá cadavérica, de olhos esbranquiçados, leitosos e sem pupilas, empurrava uma criança de lábios negros e pele pútrida num balanço. Os enfeites para festas infantis eram negros e roxos, coroas de flores e fitas lembravam um velório.

Mila estava paralisada, um grito de horror entalado na garganta; achou que iria desmaiar. Então, logo atrás, ouviu passos mas não teve coragem de olhar. O medo tirou-a do imobilismo, fugir era o que seus sentidos exigiam. Seu movimento chamou a atenção das mulheres e crianças mortas, que começaram a se levantar e vir em sua direção.

Quando virou-se para fugir, deu com Gilbert transformado numa criança disforme, uma figura grotesca, num hediondo uniforme de escolar; ele lambia um pirulito colorido e sua língua estava esverdeada e bífida. Aquilo a fez gritar, fugindo na direção da escada. Na sua corrida, passou por um homem que tinha um anzol enorme enfiado num dos lábios; ao seu lado, o totem de um sujeito musculoso com uma garota de biquíni sorria exibindo o seu troféu do homem fisgado. Mila gritou e fugiu.

Logo acima de sua cabeça um banner assinalava: *Setor de artigos esportivos*.

Os gritos de Mila chegaram até Iang. Estavam muito próximos.

Mila está aqui!

Iang retornou sobre seus passos na direção dos gritos da mulher.

— Mila! Eu estou indo, meu bem! — respondeu de volta Iang.

Mila ouviu a voz de Iang vindo de não muito longe. Seu coração bateu forte e ela continuou em fuga. Logo atrás, a legião de mortos vinha em seu encalço. À frente deles, a figura grotesca de Gilbert avançava e em suas mãos ele trazia o garfo de cozinheiro.

— Larari, larará... — Gilbert cantarolava.

Um som de passos ecoou no corredor logo à frente de Iang. Ficou parado, esperando o que atravessaria aquela porta. Apontou a arma e manteve o indicador firmemente preso ao gatilho; fez mira. A porta se abriu num estrondo. Mila atravessou-a e por pouco ele não disparou contra ela. Os dois se abraçaram. Iang olhou para a mulher com ternura, limpou delicadamente as manchas de chocolate em seu rosto.

Logo atrás, a legião de mortos avançou para eles. Iang disparou a arma algumas vezes, mas só conseguiu atrasar os passos dos cadáveres, que continuavam vindo. Iang puxou o braço da mulher, arrastando-a com ele. Correram na direção da escada rolante. Um estranho cão, com língua bífida e patas com unhas compridas, veio rosnando na direção dos dois; seu rosnado mais parecia uma gargalhada que Mila e Iang conheciam bem.

Ele disparou como pôde, não tinha habilidade, isso o impediu de destruir aquela coisa com um tiro. A fera estava parada entre eles e a escada rolante, forçando-os para o elevador. Mila agarrou as mãos de Iang e arrastou-o de volta. Correram na direção do elevador, que estava parado naquele andar desde que Iang descera. Tão logo se aproximaram, as portas se fecharam como se adivinhassem que eles queriam entrar.

Ele lê pensamentos!

No entanto, o elevador não se moveu, continuava parado no mesmo andar. Iang apertou os botões com desespero e esperou que a porta se abrisse. Em vão. Gilbert e os mortos avançavam, Jimi Hendrix fazia um solo em sua guitarra, compondo uma trilha sonora macabra.

Muito perto!

Primeiro Iang e depois Mila batiam contra os botões, até esmurrá-los. Não havia qualquer movimento da porta. Em desespero, Iang baixou a arma, deixou-a de lado e correu os dedos, tateando pela porta à procura de uma fresta. Meteu-os num pequeno vão forçando-a a ceder. Suas costelas ardiam de dor tirando sua força.

Perto demais!

O arrastar dos pés dos cadáveres pelo piso estava muito próximo e eles podiam sentir o cheiro de carne pútrida em decomposição, provocando-lhes náuseas.

Iang concentrou toda sua força naquele espaço, seus dedos ficaram brancos com o esforço, suas costelas doíam como se tivessem uma espada cravada nelas. Mila jogava o peso do próprio corpo contra a estrutura, tentando ajudá-lo. A porta moveu-se, primeiro um pouco e depois o suficiente para que eles passassem.

Uma mão com unhas negras e sujas de terra roçaram seu ombro; era descarnada e com pedaços de pele pendendo dos dedos. Quando Iang conseguiu passar parte do corpo para o interior do elevador logo atrás de Mila, a garra fechou-se sobre ele e seu ombro estalou. A gargalhada de Gilbert reverberou pelo espaço. Aquele ser o arrastava para fora do elevador e ele estava cedendo. Gilbert o puxava com uma força descomunal. Sua capacidade de resistir estava se esgotando, suas costelas partidas eram pontas rasgando sua carne.

Iang mantinha-se agarrado às laterais da porta que começava a ceder quando um estrondo quase o deixou surdo; o cheiro de pólvora invadiu o espaço do elevador. Mila estava parada com a arma em punho, do cano escapava uma fumaça branca acinzentada. O corpo de Gilbert fora lançado para longe, arrastando os outros com ele. Iang teve orgulho da mulher.

– Eu amo você – ele disse com ternura.

– Eu também – ela retribuiu.

Iang concentrou suas energias e projetou-se por completo para dentro, batendo contra as paredes internas do elevador. Começou a esmurrar os botões internos, mas o mecanismo não respondia. Chutou um dos cadáveres que tentava passar pelo vão da porta; achou que era James Dean, até que ouviram o tilintar e as portas do elevador se fecharam, afastando-os dali.

De onde observavam, os rostos dos mortos e o de Gilbert estavam voltados para eles; sua boca movia-se e Iang sabia, mesmo sem poder ouvi-lo, que ele estava cantarolando, enquanto sorria sarcasticamente.

– *Larari, larará...* – Em suas mãos ele balançava o par de sandálias.

Iang apertou o botão do térreo. Mila abraçou-se nele. O elevador desceu com rapidez e parou bruscamente. A porta abriu-se diante deles para o saguão de entrada. Iang puxou Mila com ele. Ao lado, um segundo elevador, que eles nem tinham notado ao entrar no shopping, mostrava que alguém ou alguma coisa vinha descendo velozmente, os números dos andares se sucediam rapidamente. Iang e Mila correram para a saída.

Os olhos de Iang perceberem que Mila olhava na direção de uma bancada de ofertas de bolsas femininas, ele apenas meneou a cabeça e continuou correndo, arrastando-a com ele.

Atrás deles a porta do segundo elevador se abriu e eles ouviram os passos que vinham em sua direção. Risos, gritos, solos de guitarra, gemidos e gritinhos infantis, um turbilhão de sons rolando por todo o saguão. Iang voltou-se a tempo de ver a criatura na qual se transformara Gilbert, meio homem e meio demônio, olhos malignos, língua comprida e bífida, caninos enormes. Por sua cabeça passou a imagem de Cérbero, o cão da porta do inferno.

Iang corria com dificuldade o ar faltando-lhe, enquanto Mila seguia bem na sua frente, até alcançarem a porta de entrada. Lá fora, no pátio, a luz do dia caiu sobre eles. Os dois entraram no carro. Ela trancou as portas. Ele ligou e acelerou o carro, que saiu guinchando. Deixaram aquele lugar maldito.

Atrás deles, a gargalhada de Gilbert, ou fosse o que fosse, chegou até eles e fundiu-se em seus pensamentos.

Muitos dias mais tarde, em sua casa, quando Iang acordou, lembrou que tinha adormecido depois dele e Mila terem feito amor como há muito tempo não acontecia. Olhou para o lado e não a viu, imaginou que a mulher tinha aproveitado seu sono para atacar a dispensa. Sorriu, divertindo-se com a ideia de que finalmente tudo voltara ao normal. Por um momento chegou a agradecer ao analista pela sugestão.

– Mila! Você está aí, meu bem? – Não houve resposta. Iang apoiou-se nos cotovelos ainda deitado e ouviu, com atenção, sons vindo do banheiro. – Mila, está tudo bem? – Tornou a perguntar, sem sucesso.

Seu coração disparou. Levantou-se e foi até a porta do banheiro, que estava encostada; empurrou-a de leve. Encontrou Mila na banheira; ela estava com os olhos abertos e fixos, de sua boca saíam objetos. Ele se aproximou para ver melhor sob a luz fraca da luminária sobre a pia. Mila estava morta, soterrada por milhares de cartões de crédito que saíam de sua boca.

Foi então que ele notou que ela estava calçando as sandálias da promoção, e antes que ele pudesse pedir ajuda, atrás dele uma gargalhada paralisou-o.

Este livro foi impresso em papel offset 75g em tipologia Adobe Caslon Pro, corpo 11,5.
Tiragem de 1000 exemplares.